野党連合政権へ 新たな一歩を

2017

志位和夫委員長の
党旗びらきあいさつ

五十嵐仁さんと志位委員長の
新春対談

日本共産党中央委員会出版局

目次

野党連合政権へ新たな一歩を

2017年党旗びらき　志位和夫委員長のあいさつ

2017年、あけましておめでとうございます（「おめでとうございます」の声）。インターネット中継をご覧の全国のみなさんにも、新春にあたって心からのあいさつを送ります。

第27回党大会――党の歴史のなかでも格別の意義をもつ大会に

第27回党大会が目前に迫りました。今回の党大会は、わが党の歴史のなかでも格別の意義をもつ大会となります。

大会では、野党3党・1会派――民進党、自由党、社民党、沖縄の風の代表からごあいさつをいただく予定です。わが党の大会で、他の政党をお招きし、ごあいさつをいただくのは、95年の党の歴史でも今回が初めてであります。

国民運動、市民運動の代表のみなさんもお招きいたします。古くからの友人とともに、新しい友人のみなさんからも、ごあいさつをいただく予定です。

今回の党大会は、それ自身が、この間の野党と市民の共闘の発展を体現するものとなるでしょう。みんなで力をあわせて歴史的党大会を大成功させようではありませんか。（拍手）

党大会の成功へ――「党勢拡大大運動」の目標総達成に挑戦しよう

「大運動」の到達点――二つの地区委員会のとりくみに学ぶ

まず報告したいのは、「第27回党大会成功をめざす党勢拡大大運動」についてであります。

昨年（２０１６年）12月は、全党の大奮闘で、１４３０人の新しい党員を迎え、「大運動」の４カ月の通算で新入党員は約３７００人となりました。私は、この間、新しく党の一員となった仲間のみなさんに、心からの祝福と歓迎のメッセージを送ります。（拍手）

昨年12月の「しんぶん赤旗」の読者の拡大は、全国47都道府県のすべてで、日刊紙、日曜版ともに前進をかちとり、日刊紙１４２０人、日曜版３８３４人、あわせて５２５４人の前進となりました。９月、10月、11月、12月と、４カ月連続で前進をかちとり、「大運動」

あいさつする志位和夫委員長
＝2017年１月４日、党本部

の通算では、日刊紙２４８９人、日曜版１万５１４人、あわせて１万３００３人の増加となっています。

私は、大奮闘された全国の党員と後援会員のみなさんに、心からの敬意と感謝を申し上げたいと思います。

私は、ここで二つの地区委員会のとりくみを紹介したいと思います。

福岡県・直鞍《ちょくあん》地区委員会は、昨年末までの大奮闘で、「大運動」の目標とした40人の党員拡大の目標を達成しました。直鞍地区は、この間の４回の「大運動」や「月間」で、自ら決めた目標をすべて達成・突破し、前党大会比で党員現勢を１１８・３％に前進させています。水江秀樹地区委員長は、次のような報告を寄せてくれました。

「比例で『８５０万票、15％以上』に見合う1万票を獲得する、小選挙区でも勝つ、すべての自治体で地方議員を３人以上にするという政治目標を決め、この目標をやりぬくためには党勢拡大しかないと思ってやってきました。その思いが地区全体に広がりつつあります。これまでは自分と常任委員会が中心になって支部に出かけて進めてきましたが、今回は、地区役員一人ひとりが担当の支部を援助して目標を達成しようと地区委員会全体で努力しています。党員拡大の対象者を広げるなかで、若い世代に目が向くようになり、党大会後の入党者は、いわゆる現役世代が3分の2を超えています。地区党会議に若い代議員が選出されて参加し、雰囲気が変わってきました」

大阪府・堺地区委員会は、「大運動」の目標とした党員140人に対して、入党決意が107人、目標まであと一歩に迫っています。阪上良一地区委員長は、その動機とこれまでつかんだ確信について、以下のように語っています。

「国政選挙で勝利するには、まだまだ党が小さい。党員拡大という党の根幹を太くすることで、直面している困難も突破できると、励ましあって、第26回党大会後、473人の新入党員を迎えてきました。『大運動』では、党と結びついている人たちへの『リスペクト（尊敬）』運動をすすめてきました。入党の働きかけのさいに、党の側が一方的にしゃべるのではなく、相手の党に対する思いを聞くことを大切にしてきました。はじめのうち『入党できません』と入党できない理由をいくつもあげていた人に、『長い間、共産党を支持し続けてくださって本当にありがとうございます。その理由は何ですか』と聞くと、党への思いを次々と語ってくれます。入党してくれる人はよくしゃべる。一方的に話すのではなく、相手を、政治を変える主役として尊敬し、よく聞くことが、党員拡大をすすめる力になり、すぐ結果に結びつかなくても相手の生活や党への思いがわかり、党への信頼と絆は飛躍的に高まります。この『リスペクト』運動は、いいことばかりです」

この「リスペクト」運動、いいですね。ぜひ全国でやりたいと思います。

二つの地区委員会のとりくみには、全党が学ぶべきたくさんの〝宝〟があるのではないでしょうか。

「〝隠れ共産党〟宣言」――綱領が多くの国民と響きあう時代がやってきている

「大運動」の新しい特徴の一つは、日本共産党綱領へのかつてない注目と関心が広がり、「綱領を語り、日本の未来を語り合う集い」が各地で無数に開かれ、綱領パンフレット・『JCPマニフェスト』がどこでも話題になり、綱領が党建設においても生きた力を発揮していることであります。

農業協同組合新聞（電子版）の昨年12月28日付に、「〝隠れ共産党〟宣言」と題するコラムがのりました。岡山大学大学院教授の小松泰信さんが執筆したコラムです。小松さんは、「国の産業政策のなかで、農業を基幹的な生産部門として位置づける」と明記した日本共産党綱領を引用して、次のようにのべています。

「（綱領で）農業を高く評価し位置づける政党に、興味が湧かない人はいないだろう」「実は、数年前の国政選挙から同党（日本共産党）に投票している。……理由は極めて単純。農業保護の姿勢やTPP（環太平洋連携協定）への全面的な反対姿勢などが一致したからだ。……ではなぜカミングアウト（公表）したのか。それは、自民党が変質し、『農』の世界に軸足をおいた人や組織がまともに相手する政党では無いことが明白となったからだ。……純粋に農業政策を協議するに値する政党は日本共産党だけとなる」「村社会でも地殻変動の兆《きざ》しあり。と言うのも、農業者やJA関係者と一献《いっこん》傾けるとき、我が投票行動を酒の肴《さかな》にお出しすると、〝実は…〟の人が確実に増えているからだ。『危険思想として擦り込まれてきたが、何か悪いことをしたのですかね。少なくとも農業問題に関しては、真っ当なことを言っていますよ。自民党よりよっぽど信用できる』とのこと。……政権与党とその走狗《そうく》である規制改革推進会議に痛めつけられ、真っ当な農業政策を渇望している人が〝隠れトランプ〟ならぬ〝隠れ共産党〟となっている」

農村部でも「地殻変動の兆しあり」。「〝実は…〟の人が確実に増えている」。うれしいことではありませんか。私たちの綱領は、2004年の大会で決めてから13年になりますが、いま綱領が、多くの国民の気持ちと響きあい、日本の政治を動かす時代がやってきているのであります。

こういう新しい条件もすべてくみつくして、この1月、「大運動」の目標総達成に挑戦し、党勢拡大の大きな飛躍・高揚のなかで歴史的党大会を大成功に導こうではありませんか。（拍手）

野党と市民の共闘が本格的に開始され、第一歩の大きな成果をあげた

この1年間の大きな変化――〝勝利の方程式〟をつかんだ

昨年・2016年の特徴を一言でいうならば、野党と市民の共闘が本格的に開始され、

党と市民の共闘の前進がいかに大きなものだったかを痛感いたします。

昨年の1月4日の党旗びらきのあいさつをあらためて読んでみますと、この1年間の野党と市民の共闘の前進がいかに大きなものだったかを痛感いたします。

昨年の党旗びらきの時点では、野党共闘がどうなるか、率直に言って先が見えない状況にありました。私たちは、一昨年（2015年）の9月19日、「戦争法（安保法制）廃止の国民連合政府」を提唱し、大きな反響がありましたが、現実の野党共闘は遅々としてすすみません。昨年の党旗びらきのあいさつではこうのべていました。

「率直に（野党間協議の）現状を報告しますと、今のところはまだ、『戦争法＝安保法制廃止と立憲主義回復』という政治的合意も、そのための政府をつくるという政権合意も、選挙協力の協議に入るという合意も、つくられておりません」

年頭の時点では、合意がまったくなかった。先が見えない状況でした。そういうなかで1年前の党旗びらきで「希望」としてあげたのは、二つでした。一つは、一昨年の12月に、熊本県で全国初めての市民・野党統一候補が決まったことです。もう一つは、「安保法制の廃止と立憲主義の回復を求める市民連合」が発足したことでした。

昨年の年頭の時点ではこういう状況でしたが、市民運動の後押しを受けて、共闘の歯車が動きだしました。2月19日、5野党党首会談がおこなわれ、安保法制廃止、集団的自衛権行使容認の「閣議決定」撤回、安倍政権の打倒をめざし、国政選挙で協力するという画期的な5野党合意が実現しました。この合意がきっかけとなって、5月の末までには全国32の参院選1人区のすべてで野党統一候補が実現し、7月の参議院選挙では11の1人区で激戦を制して勝利しました。さらに10月の新潟県知事選挙では、野党と市民の統一候補・米山隆一さんが、自公推薦の候補を打ち破って圧勝しました。1年間でこれだけ情勢を変えたわけですから、次の1年・今年が楽しみではありませんか。

私は、「しんぶん赤旗」の「新春対談」で法政大学名誉教授の五十嵐仁さんとご一緒する機会がありましたが、五十嵐さんは「〝勝利の方程式〞が見えてきた」と語りました。野党と市民が、「大義の旗」を掲げ、「本気の共闘」にとりくめば、自民党を打ち破ることができる――昨年のたたかいで、私たちが〝勝利の方程式〞をつかんだことの意義は、きわめて大きいのではないでしょうか。

新しい信頼と連帯の絆がつくられた――新春の特集から

この間の野党と市民の共闘は、いろいろな財産をつくりましたが、私は、他の野党の方々、市民運動の方々との新しい信頼と連帯の絆がつくられたことが、次につながる一番の財産だと考えています。心が温かくなる新春の特集を二つ紹介したいと思います。

一つは、「しんぶん赤旗」日曜版、1月1日・8日付、新年合併号です。力をあわせて共闘を発展させてきた14人の方々――民進党、自由党、沖縄の風の国会議員、「総がかり行動実行委員会」、「市民連合」、「ママの会」、「学者の会」の代表や呼びかけ人、各界の文化人・知識人が、共闘に期待を寄せ、共闘を発展させる抱負を語っています。どの方の言葉も輝いています。熟読をおすすめします。

いま一つは、『女性のひろば』2月号の巻頭を飾っている、民進党参院議員の増子《ましこ》輝彦さんと、日本共産党新参院議員の岩渕友さんの対談です。増子さんが、親子ほど年の違う新人の岩渕さんに、お父さんのように優しく語りかけ、福島の復興と野党共闘について、福島出身の2人の対談がはずんでいます。心がほっこり温かくなる対談です。

ともに共闘にとりくむなかで、お互いが変わる。これも昨年のたたかいで実感したことでした。私自身、一緒にたたかうなかで、他の野党のなかにも、「日本の前途を真剣に考えている立派な人がいる」と、ずいぶんたくさんの友人を得た思いであります。先方も、「共産党もいいところがある」と見直してくれた方もいると思います。真剣に、誠実に、共闘にとりくむなら、お互いに前向きに変わりうる。このことが体験をつうじて実感できたことも、今後につながる大きな財産ではないでしょうか。

今年・2017年を、野党と市民の共闘を、日本の政治を変える大きな流れとしてさらに大きく発展させるために、知恵と力をつくす決意を、年頭にあたって表明したいと思います。（拍手）

安倍政権の暴走政治と対決し、政治の転換を求めるたたかいを発展させよう

さて、今年・2017年をどうたたかうか。むこう2年から3年の日本共産党の方針は、大会決議案が全面的に明らかにしています。私は、それを前提として、三つの点にし

ぼって訴えたいと思います。

「ポスト真実」の政治＝嘘・偽りの政治と、安倍政権の正体

第一は、安倍政権の暴走政治と対決し、政治の転換を求めるたたかいを、あらゆる分野で発展させることであります。

安倍政権は、安保法制＝戦争法の強行という立憲主義を破壊する暴挙をきっかけにして、暴走政治、強権政治の歯止めをなくしてしまっています。それは昨年秋の臨時国会でむきだしの形であらわれました。ＴＰＰ協定・関連法、年金カット法、カジノ解禁推進法という三つの大悪法を、国民多数の反対の声を押しつぶして強行採決で押し通した。南スーダンＰＫＯ（国連平和維持活動）に派兵されている自衛隊に「駆け付け警護」などの新任務付与を強行し、沖縄に対しては基地押しつけの異常な強権をふるう。どれもこれも国民の不安、批判、反対はおかまいなしであります。

「それなのにどうして内閣支持率が高いのか」。こういう疑問もあるかもしれません。しかし、〝高支持率〟の内実はきわめてもろいものだと考えます。

イギリスのオックスフォード大学出版局は、昨年注目を集めた言葉として「ポスト真実」（ポスト・トゥルース）という言葉を選びました。「ポスト真実」の政治とは、事実に基づかない主張、つまり嘘《うそ》・偽りを繰り返すことで、人々を扇動し、うねりをつくり出す政治を示す言葉であります。アメリカの大統領選挙でのトランプ氏の言動などが、「ポスト真実」の政治の見本とされています。米国のサイトで「ポリティファクト」というサイ

トがあります。大統領選挙の候補者や政府高官などの言動が、ウソか本当かを分析しているサイトですが、「ポリティファクト」によりますと、選挙戦でのトランプ氏の発言は、「ほぼウソ」「ウソ」「真っ赤なウソ」の三つをあわせると、何と69%を占めたといいます。

ただ、「ポスト真実」の政治＝嘘・偽りの政治は、トランプ氏の専売特許ではありません。安倍首相も負けていないではありませんか。福島原発事故の汚染水対策の見通しすらないのに、「状況は完全にコントロールされている」と言い放つ。南スーダンでは内戦が深刻化しているのに、「首都ジュバは比較的落ち着いている」と繰り返す。強行採決を繰り返しながら、「わが党は、結党以来、強行採決をしようと考えたことはない」と平気で答弁する。安保法制＝戦争法で「戦争する国」への暴走をしながら、真珠湾訪問では「不戦の誓いをこれからも貫いてまいります」と言ってはばからない。どれもこれも嘘・偽りですが、それを巨大メディアが無批判に垂れ流し、国民のなかにある幻想をつくりだしています。

しかし、しょせんは嘘・偽りにすぎません。安倍政権は、嘘と偽りでつくられた「虚構の政権」であります。真実の光、事実の光をあてれば必ず崩壊します。実際、昨年の参院選1人区や新潟県知事選の勝利が示したように、嘘・偽りの政治が通用せず、国民との矛盾がそのまま噴きだし、争点になった場合は、たちまち崩れるもろさが露呈したではありませんか。必ず崩せるという確信をもってすすもうではありませんか。（拍手）

国民のたたかいの力で、嘘と偽りにまみれた「虚構の政権」を退場させよう

何よりも国民の切実な要求にもとづくたたかいこそ、嘘・偽りの政治を突き崩す最良の力となることを強調したいと思います。日本共産党は、今年・2017年、次のたたかいの課題を一貫して重視し、国民とともに奮闘するものであります。

――まず、安保法制＝戦争法の廃止、日本国憲法を守り生かすたたかいです。戦争法が強行された後も、その廃止を求める世論と運動はやむことなく発展しています。「総がかり行動実行委員会」が呼びかけた、毎月の「19日」行動は、東京でも全国でも継続的にとりくまれています。5・3憲法集会は、2015年から共同の憲法集会となり、15年には3万人、16年には5万人と年々大きく広がっています。力をあわせ、憲法破壊の暴走をとめ、日本国憲法の立憲主義、民主主義、平和主義を貫く新しい政治をつくろうではありませんか。

――大会決議案は、格差と貧困をただし、中間層を豊かにする、経済民主主義の改革を提唱しました。すでに最低賃金引き上げ、ブラック企業の規制、長時間労働の是正、給付型奨学金の実現、社会保障の充実、TPP反対などを掲げ、さまざまな運動が広がっています。世界に目を向ければ、グローバル資本主義の暴走のもとで、欧米でも格差と貧困をただす新しい社会変革の運動がわきおこっています。世界の運動と連帯し、「1％の富裕層と大企業のための政治でなく、99％の国民のための政治」を求めるたたかいを大いに発

展させようではありませんか。

――原発再稼働に反対し「原発ゼロの日本」をめざすたたかいは正念場を迎えます。首都圏反原発連合がとりくむ金曜官邸前行動は、昨年12月23日で２２７回を数え、抗議の「場」を絶やさない「篝火《かがりび》」のような役割を果たしています。再稼働反対の運動は、全国各地でも、粘り強く続けられています。この運動が、「今の政治はおかしい」と思ったら声をあげ行動することが当たり前の社会をつくりだしたと思います。粘り強くたたかいを続けてこられた方々に心からの敬意を表明し、「原発ゼロ」をめざしてともに力をあわせてたたかう決意を申し上げたいと思います。（拍手）

――沖縄をはじめとする米軍基地問題をめぐるたたかいは、新しい段階に入りました。選挙で繰り返し示された沖縄県民の総意を無視して、東村高江《ひがしそんたかえ》のオスプレイ着陸帯建設を強行する、辺野古《へのこ》新基地の工事を力ずくで再開する、オスプレイの墜落事故が起こったにもかかわらず平然と訓練を再開する――こんな無法が民主主義の国で許されていい道理はありません。オスプレイの訓練は全国でおこなわれています。沖縄と本土が連帯して、基地のない沖縄、基地のない日本への道を開くたたかいを断固として発展させようではありませんか。（拍手）

――世界に目を向けますと、「核兵器のない世界」への画期的な動きが進展しています。昨年12月の国連総会で、核兵器禁止条約の締結交渉をすすめる国際会議を、今年３月、6～7月に開催する決議案が、圧倒的多数で採択されました。唯一の戦争被爆国の日本政府が、これに反対票を投じたのは、恥ずべきことであります。この国際会議は、各国政府とともに、各国の市民運動――反核平和運動も参加しておこなわれます。「ヒバクシャ国際署名」を広げに広げ、今年を「核兵器のない世界」に向けて世界が一歩踏み出した年とするために、あらゆる力をつくそうではありませんか。

今年を、あらゆる分野で、安倍政権の暴走政治とのたたかいを大きく発展させ、嘘と偽りにまみれた「虚構の政権」――安倍政権を退場させ、新しい政治への道を開く年にしていこうではありませんか。（拍手）

総選挙での勝利、躍進を――安倍政権打倒、野党連合政権への大きな一歩に

共通政策、選挙協力の両面で、すみやかに野党共闘の具体化を

第二は、総選挙で勝利、躍進することです。解散・総選挙の時期は、1～2月の早期の解散の可能性も含めて流動的であります。私たちの構えとして重要なことは、いつ、いかなる解散にも対応できるようしっかり準備をすすめることであります。

わが党は、衆議院選挙で選挙協力を成功させるためには、豊かで魅力ある共通政策をつくること、本格的な相互推薦・相互支援の共闘を実現すること、政権問題で前向きの合意をつくること――三つの課題で合意をつくることが大切だと表明してきました。

昨年12月におこなわれた野党4党の書記局長・幹事長会談で、わが党はこの基本的立場を粘り強く主張し、「総選挙を協力してたたかう」ことが確認され、政策実務者の協議、選挙実務者の協議を年明け早々に開くことが確認されました。また、1月7日に「市民連合」が各野党の党首クラスとともにおこなう街頭演説会を成功させるために、4党が協力することを確認しました。共闘を一歩前にすすめる、たいへんに重要な確認であります。

来たるべき総選挙で、私たちがつかんだ〝勝利の方程式〟をさらに発展させ、「本気の共闘」の体制をつくりあげることができれば、選挙情勢の激変をつくりだし、安倍政権を退陣に追い込む結果をつくることは十分に可能だと確信をもって言いたいと思います。

わが党は、共通政策づくりと、選挙協力の体制づくりの両面で、可能な限りすみやかに共闘の具体化をはかるために、真剣かつ誠実に力をつくす決意であります。

日本共産党の躍進へ――新春からスタートダッシュを

同時に、日本共産党自身の躍進をかちとるために、新春からスタートダッシュをはかることを、心から呼びかけたいと思います。

来たるべき総選挙で、日本共産党は、「比例を軸に」をつらぬき、比例代表で「850万票、15%以上」を目標にたたかい、全国11のすべての比例ブロックで議席増を実現し、比例代表で第3党をめざします。野党共闘の努力と一体に、小選挙区での必勝区を攻勢的に設定し、小選挙区での議席の大幅増に挑戦します。

すでに、第1次分として、比例代表の予定候補者34人、小選挙区の予定候補者263人を発表しました。これも第1次分ですが、15の小選挙区を必勝区としてたたかうことを明らかにしました。候補者を先頭に、国民のなかに打って出て、年初めから日本共産党の風を街に大いに吹かせましょう。ポスターを一気に張り出し、草の根から元気いっぱいの党の姿を示しましょう。

来たるべき総選挙を、安倍政権を打倒し、野党連合政権（国民連合政府）に向けて大きな一歩を踏み出す選挙としていくために、全力をあげてがんばりぬこうではありませんか。（拍手）

東京都議会議員選挙、中間地方選挙で、日本共産党勝利・躍進の流れをつくろう

第三は、東京都議会議員選挙、中間地方選挙で必ず勝利をかちとることであります。

6月の東京都議会議員選挙は、東京都の未来、都民の暮らしに大きな影響をあたえるだけでなく、国政の動向を大きく左右する政治戦となります。

前回の都議選で8議席から17議席に躍進した日本共産党都議団が、都民の運動と結んで、どんなにかけがえのない役割を果たしてきたか。私は、とくに三つの点を強調したいと思います。

第一に、猪瀬、舛添両知事の「政治とカネ」の問題を、徹底調査と論戦で追及し、2人

の知事を辞職に追い込むうえで決定的役割を果たしたのが、日本共産党都議団でありま す。小池都政は、知事の海外出張費削減、公用車の使用制限方針を決定しましたが、これらは都民の運動と結んだ日本共産党都議団の一貫したたたかいによる重要な成果であるということを言いたいと思います。

第二に、日本共産党都議団の躍進は、都民の暮らしを守る施策の前進という点でも、いろいろな分野で変化をつくっています。たとえば、認可保育園の増設が前進しました。党都議団は、躍進した直後に、獲得した議案提案権を活用して、認可保育園整備のための用地購入費を都が補助する条例案を提出。さらに都有地の活用促進を具体的に提案してきました。都民の運動と結んだ共産党都議団のがんばりで、この3年間で3万6千人分の認可保育園の増設がすすみました。4年前の都議選の公約は、「3万人分の増設」でしたから、公約を超過達成する増設を、都民の運動と二人三脚でやりとげてきた。さらに党都議団は、小池知事に対して、「待機児解消にむけ、保育の量・質の抜本的拡充を求める提言」を提出、4年間で9万人分の認可保育園増設を求めてたたかっています。

第三に、豊洲《とよす》新市場の「地下空間」を発見し、都政を揺るがす一大問題にしてきたのも、日本共産党都議団であります。党都議団は、現地調査や、開示請求で得られた公文書などの分析を重ね、都議会の論戦をリードしてきました。食の安全を最優先にして豊洲移転計画の抜本的再検討を求めてたたかっています。

とくに三つの点をのべましたが、日本共産党都議団がこうした活躍ができるのも、ひとえに17議席に躍進させていただいたおかげであります。ですから、来たるべき都議選では、この17議席――都民、国民にとっての宝の議席は、どんなことがあっても絶対に確保する、そして新しい議席を増やす、この仕事を何としてもやり抜かなければなりません。東京と全国の共同の力でやりとげなければなりません。

都議選必勝のため、全国からの支援の集中を心から呼びかけたいと思います。（拍手）

また、今年は、北九州、前橋、大分、静岡、富山、松江、奈良、那覇、佐賀――九つの政令市と県都で市議会議員選挙がたたかわれます。全員勝利を果たすため、全国からの支援を心から訴えます。

党創立95周年の年――野党連合政権に向けた新たな一歩を記録する年に

今年は、党創立95周年の節目の年であります。大会決議案は、95年のたたかいを経てつかんだ成果、切り開いた到達点に立って、党創立100周年をめざし、野党連合政権に挑戦することを訴えています。決議案のこの最後の部分は、多くのみなさんに感動をもって受け止められ、反響を広げています。

今年を、野党連合政権に向けた新たな一歩を記録する年とするために、力いっぱい奮闘する――その決意をお互いに固めあいまして、年頭にあたってのあいさつといたします。がんばりましょう。（大きな拍手）

（「しんぶん赤旗」２０１７年1月5日付）

新春対談

法政大学名誉教授
五十嵐 仁さん

〝勝利の方程式〟が見えてきた

日本共産党委員長
志位 和夫さん

「大義の旗」で「本気の共闘」を

野党と市民と〝二人三脚〟

日本共産党の志位和夫委員長の新春対談。今年は、長年、日本の政治や統一戦線の研究に携わってきた政治学者の五十嵐仁さん（法政大学名誉教授）をゲストに迎え、日本と世界のいま、野党連合政権の展望などについて縦横に語り合いました。

志位　あけましておめでとうございます。

五十嵐　おめでとうございます。

昨年（2016年）、印象的だったのは7月の参議院選挙と10月の新潟県知事選でした。参院選挙で、野党と市民の共闘が実現して大きな成果をあげた。新潟県知事選では、共産党、社民党、自由党、新社会党、緑の党の政党・政派、さまざまな団体・個人が一緒になって米山隆一さんを当選させた。新潟は私のふるさとですから、大変うれしく思いました。明確な争点を掲げて本気の共闘をやれば、これだけの成果をあげることができる。これは市民と野党の連携で選挙をたたかう運動の一つの到達点であり、〝勝利の方程式〟が見えてきたという印象です。

志位　去年は、野党と市民の共闘が本格的に始まった年になったと思います。キーワードが二つあると思っていまして、一つは「大義の旗」。もう一つは「本気の共闘」です。野党と市民が「大義の旗」を掲げて「本気の共闘」をやれば、自民党を打ち破ることができることが、事実をもって示されたと思います。

去年を振り返りますと、市民運動のみなさんの後押しが大きな力になり、2月19日の5野党党首会談で、「安保法制の廃止と集団的自衛権行使容認の閣議決定撤回」「安倍政権打倒」を掲げて選挙協力をするという画期的な合意が確認されました。これが転換点になり、参院選挙の32の1人区すべてで野党統一候補が実現し、11選挙区で勝った。このときの「大義の旗」は「安保法制廃止、立憲主義回復」でした。そのあと、新潟県知事選で米山さんを統一候補に、「原発再稼働は許さない」という「大義の旗」を掲げ、気持ちが一つになった「本気の共闘」で勝利をつかみました。

安倍政権はいたるところで矛盾

五十嵐仁（いがらし・じん）
1951年、新潟県生まれ。法政大学名誉教授。同大学大原社会問題研究所所長などを歴任。専門は政治学、労働問題。著書に『対決　安倍政権―暴走阻止のために』（学習の友社）など。

五十嵐　戦争法が成立した一昨年（2015年）の9月19日に、共産党は「戦争法（安保法制）廃止の国民連合政府」を提唱しましたね。これは戦争法反対の運動を続けてきた人たちを励ましたという意味で、ものすごく大きかった。具体的な実現の手だてとして、参院選1人区での統一候補の擁立とそのために共産党候補を降ろすという決断をされた。これも大きかった。

志位　労働運動のナショナルセンターの違いを乗り越えて、「総がかり行動実行委員会」という画期的な統一戦線組織がつくられました。この動きと「シールズ」「ママの会」「学者の会」などの新しい市民運動が合流して、一昨年12月に「安保法制の廃止と立憲主義の回復を求める市民連合」ができました。この時点では、共闘の展望がまだ見えていない状況でしたので、本当に心強い仲間があらわれたという気持ちでした。市民のみなさんが後押しをしてくれたことが野党の結束につながった。今後も市民のみなさんと二人三脚で進めていきたいと思っています。

五十嵐　一昨年末といえば私自身、東京・八王子市長選挙に無党派共同候補として立候補を要請され、〝大きな決断〟を迫られました。地元では戦争法に反対する「ノー・ウォー八王子アクション」という市民運動が発展し、市民と野党の共同の取り組みが進んでいたからです。

志位　八王子で先駆的に始まったんですね。

五十嵐　当選はできませんでしたが、八王子市長選での市民と野党の共闘が昨年2月の5野党党首会談での合意の先駆けになったという点では、貴重な役割を果たせたのではないかと自負しているわけです。

野党連合政権へのジャンプの年

志位和夫（しい・かずお）
1954年、千葉県生まれ。東京大学工学部物理工学科卒業。1990年から2000年まで日本共産党書記局長。2000年幹部会委員長、衆院議員。

志位　ここまで発展させた流れを、ぜひ今年は総選挙で次のステップに発展させたいと思っています。いろいろと難しい問題もありますし、自民党などからの攻撃もありますけれども、私は、大局で見るならば、

米山隆一新知事（右から２人目）の当選を喜ぶ支援者ら＝2016年10月16日、新潟市の選挙事務所

必ずこれは前に進むという確信をもっています。

五十嵐　いまステップと言われましたが、私はホップ、ステップ、ジャンプだと思います。

志位　ホップはどこですか。

五十嵐　戦争法廃止の運動が高まり「野党は共闘」という声が澎湃《ほうはい》として湧き上がった。これがホップ。ステップは参院選挙の1人区共闘、新潟県知事選で大きな成果をあげた。そして今年はジャンプの年。大きくジャンプして飛躍の年になるんじゃないかと。（笑い）

志位　ジャンプの年、野党連合政権に向けた一歩を開く年にしましょう。（笑い）

志位さん　強権政治の歯止めがなくなった
五十嵐さん　後ろ向きの暴走が始まっている

五十嵐　安倍政治をどうみるかは、今後のたたかいの焦点です。いま衆参両院で自民党が過半数を突破し、改憲をめざす勢力が3分の2以上。安倍首相にとって〝わが世の春〟の気持ちかもしれませんが、昨秋の臨時国会では暴走政治の破たんと安倍首相の焦りが明らかになってきたと思いますね。

志位　そうですね。いろいろなほころびが出てきました。私の感じで言いますと、安倍政権は、2014年7月に集団的自衛権行使容認の「閣議決定」を強行した。そして2015年9月に安保法制＝戦争法を強行した。この二つの憲法破りの暴挙をへて強権政治、暴走政治の歯止めがなくなった感じがします。

臨時国会でも、TPP協定（環太平洋連携協定）・関連法、「年金カット」法、カジノ解禁法という三つのとんでもない悪法が問題になりました。どれも国民の多数が「反対」「慎重審議」の声をあげたのに、乱暴なやり方ですべてを通しました。

しかも、その過程で、安倍首相は、「そもそも結党以来、強行採決をしようと考えたことはない」（笑い）、「こんな議論を何時間やっても同じ」と言い放つ。農水大臣も官房副長官も事実上、強行採決をけしかける発言をし、発言後に強行採決をやる。「予告付き強行採決」という、国会を愚弄《ぐろう》する〝新方式〟まで〝開発〟した。（笑い）

それから私が感じるのは、三権分立の分別さえつかなくなっていることです。臨時国会の所信表明演説で安倍首相は、自衛隊の活動などにふれて「今この場所から、心からの敬意を表そうではありませんか」と呼びかけた。行政府の長が立法府に対して「さあ拍手しろ」という号令をかけ、与党議員がスタンディングオベーション（総立ちの拍手）を行う。農水大臣にしても官房副長官にしても、行政府の人間でしょ。それが国会に対して強行採決をけしかけるのも、行政府と立法府のけじめがなくなってしまっているということです。最低限の憲法的なけじめがなくなっている。

五十嵐　安倍さんは、自分のことを「立法府の長」と平気で言っていましたね。（笑い）

志位　本気でそう思っているのかもしれない（笑い）。強権政治、暴走政治の歯止めがなくなったことは、いよいよ国民との矛盾を広げ、新たなたたかいを呼び起こすと思います。もともと野党と市民の共闘も、安倍政権が戦争法というとんでもない悪法に踏み込んだ結果として大きな流れに発展したわけですから。安倍政権の暴走の一歩一歩が墓穴を掘っています。

五十嵐　そうですね。安倍さんは右にしかハンドルが切れない。最近はもう逆走ですよね（笑い）。完全に後ろ向きの暴走が始まっている。日本の場合は議会制民主主義ですから、国会でも多数政党の長が行政府の長になる制度です。だからこそ、立法府と行政府との間のけじめをきちんとつけることがとりわけ重要なわけです。アメリカのように両者が分立しているというわけではないのですから。

臨時国会についていえば、安倍政権の「強さ」だけでなく「弱さ」もあらわれていたと思います。ＴＰＰを最優先したために２０２０年以降の地球温暖化対策の新たな国際的枠組みを定めた「パリ協定」の批准が遅れ、日本は締約国会議にオブザーバーで参加することになった。最優先したＴＰＰは、トランプ次期米大統領の「離脱」表明で発効の見通しさえない。カジノ法の強行では公明党との関係がぎくしゃくしてしまった。いたるところで矛盾が噴き出しています。

志位さん　世界の動きが目に入らない「安倍外交」
五十嵐さん　世界はあぜんとしたと思う

志位　「安倍外交」が無残な破たんをとげつつあるのも、この1年の特徴だったと思います。端的に言いますと、アメリカの色眼鏡を通してしか世界が見えない。安倍首相は「地球儀俯瞰《ふかん》外交」と言いますが、世界の大きな流れ、動きがどうなっているかが目に入らないんですね。

昨年10月の国連総会第1委員会、12月の国連総会で、核兵器禁止条約の締結交渉を今年3月と6～7月に行うという画期的な決議が圧倒的多数で採択されましたが、日本政府はこれに反対しました。

五十嵐　世界はあぜんとしたと思いますよ。どうして日本は反対するんだと。

志位　唯一の戦争被爆国にあるまじきことです。「地球儀俯瞰外交」というが、いったいどこに目をつけているのか。（笑い）

TPPでは、多国籍企業の利益最優先のルールを「自由貿易」の名で押し付けるやり方が、世界のあちこちで矛盾が起こって大破たんをとげつつあるわけです。ところがこれも目に入らない。「パリ協定」では締約国会議に間に合わなかった問題とともに、中身の面でも日本の温室効果ガスの排出量の削減目標があまりに低すぎて世界から指弾されています。TPP、核兵器廃絶、「パリ協定」――どの問題でも世界の大きな流れが見えていない。

領土棚上げにした日ロ首脳会談　志位さん
クリミア併合問題でも逆方向　五十嵐さん

志位　「安倍外交」のもう一つの特徴は、国際的な大義と道理に立って外交をすすめるという姿勢があらゆる面でないことです。昨年12月15、16両日のプーチン・ロシア大統領との日ロ首脳会談は、あれだけ鳴り物入りで「領土が進むぞ進むぞ」と言っておいて、領土問題ではまったく前進がなかった。逆に、歯舞《はぼまい》、色丹《しこたん》、国後《くなしり》、択捉《えとろふ》の4島での「共同経済活動」にむけた協議に合意する。この動きは、日本政府のこれまでの立場からも後退なのです。

プーチン大統領は、首脳会談に先立つインタビューで、旧ソ連への「千島列島の引き渡し」を取り決めた米英ソ3国による1945年2月のヤルタ協定を前面にたてて、「領土問題は存在しない」と言った。それに対して安倍首相は、「領土問題は脇に置きましょう」「まずは経済だ」という態度でした。日ロで「共同経済活動」を行えば、いずれは領土問題の解決の道が開けるという立場に終始した。相手が「領土問題は存在しない」と言っているもとで、「領土問題は脇に置きましょう」と言ったらどうなりますか。領土問題の解決はいよいよ遠のくだけですよ。

日ロ領土問題の根本は、「領土不拡大」という第2次世界大戦の戦後処理の大原則に背いて、ヤルタ協定で「千島列島の引き渡し」が決められ、それに縛られて1951年のサンフランシスコ平和条約で日本政府が「千島列島の放棄」を宣言してしまったことにあります。私たちは、この戦後処理の不公正の是正を正面から求めることが領土問題解決のカギだと言ってきましたが、日本政府はこの基本を踏まえた外交をやってこなかった。安倍首相は、「互いに正義を言ってもすすまない」と言いますが、日本政府は、一度も「戦後処理の不公正をただせ」という「正義」を主張したことがないのです。今回の日ロ首脳会談について、年末のNHK「日曜討論」で、私は「だらしのない外交」と言いましたが、もっと言えば大失政と言わなければなりません。

五十嵐　領土交渉の問題で言えば、〝返す返す詐欺《さぎ》〟にだまされ、大金をむしり取られた（笑い）。3000億円の経済協力で「新しいスタートを切る」と言っていますが、確かにスタートが切られました。しかし後ろに向かってで、これも〝逆走〟です。領土問題は棚上げで、4島の帰属はもとより、歯舞、色丹の「2島先行返還」すら、今後交渉の議題になるのかさえはっきりしない。しかも今回の「共同経済活動」は、ロシアによるクリミア併合に対しEU（欧州連合）が対ロ経済〝制裁〟の延長を決めた同じ日に経済〝協力〟で合意したという大問題があります。日本は世界の動きが目に入らず、逆方向に足を踏み出している。4島での「共同経済活動」が進めば進むほど、定住促進、現状固定、実効支配を強めることになり、返還を遅らせる結果になってしまいます。

志位　そう思いますよ。4島の「共同経済活動」と言いますけれども、ロシアは「ロシアの主権のもとで」と頑強に言ってますでしょ。ですからそれが具体化される過程のなかで、4島への日本の主権が損なわれることになる危険性が非常に高い。だいたい、4島で経済が発展すれば人口も増えるでしょう。そうすればロシアの実効支配・統治が、政治的にも経済的にもますます強化される。「共同経済活動」はロシアの実効支配・統治を後押しするだけです。そうなれば領土問題の解決は、ますます遠のくことになる。

それともう一つの側面は、いまおっしゃったクリミア併合でG7やEUなど国際社会が対ロ経済制裁をやっているときに経済協力を決めた。日本政府は制裁破りをやっているわけです。

五十嵐　そうです。まったく逆のことをやっているわけです。

志位　プーチン大統領からしたら、この点でも大成果ということになったと思うんですよ。二重に大きな問題を抱えた方向に進みました。

五十嵐さん　正義を軽視したら政治家失格
志位さん　戦後処理の不公正の是正を求めよ

志位　さきほど言ったように、私たちは、日ロ領土問題は、戦後処理の不公正の是正を求め、全千島列島の返還を堂々と主張するという立場に立たないと解決できない、この立場に立ってこそ国後、択捉を取り戻す道も開けると一貫して言ってきました。この立場は、今回の日ロ首脳会談の顚末《てんまつ》をみても、いよいよ重要だと思います。

歴代自民党政権の領土交渉には、この立場がないのが大きな弱点でした。ただそれでも日本政府の過去の交渉を見ると、経済協力をするときには必ず同時並行で領土問題をやっていたんです。たとえば１９９８年の小渕・エリツィン会談のときにも、「共同経済活動」が合意になったんです。このときは「共同経済活動委員会」と「国境画定委員会」と並行して立ち上げています。経済をやる場合でも領土を並行でやる。リンクさせる。これが建前だった。ところがこれすら捨てちゃったのが、今度の安倍首相の「新しいアプローチ」なんですね。「国境問題にこだわっているから進まないんだ」と、領土問題を脇に置いて経済優先でやる。こういう仕掛けをつくってしまった。

今回の日ロ首脳会談の結果は、これまでの自民党の日ロ領土交渉の方針がいよいよ行き詰まり、総破産したことを示しています。同時に、そうしたもとで、安倍首相が、これまでの歴代政府が一応の建前としてきた交渉方針をも、覆してしまったということが言えます。

五十嵐　そうですね。総破産のもとでの大後退なのです。

志位　首脳会談後の共同記者会見でたいへん印象的なシーンがありました。安倍首相の方は領土問題に口をつぐんでいる。プーチン大統領の方は、延々とロシアが千島列島を得たのは戦争の成果で当然のことだったというような調子のことを言い、安倍首相は隣でそれを聞いているのに一言も反論しない。「安倍外交」がいかにだらしのない、道理をわきまえないものかが典型的にあらわれた一場面でした。

五十嵐　道理や正義、正統性を軽視するような発言は、政治家としてあってはなりません。それはもう、政治家失格ですよ。正しいもののために命を懸けるのが政治家であり、正統性をめぐって競い合うのが政治の本質なのですから。

志位　旧ソ連が千島列島と歯舞、色丹を不法に占領したんですから、不正義は旧ソ連・ロシアにあるんです。そのことを正面から主張しなければならないのに、「互いに正義を言ってもすすまない」ではだめです。

格差と貧困ただす経済民主主義の改革を　政治転換の機は熟した

志位さん

五十嵐さん

志位　破たんという点では、経済もいよいよ「アベノミクス」が立ちゆかなくなっています。「アベノミクス」は、「異次元金融緩和」で、円安・株高を演出するのが最大の売りだったのですが、これがうまくゆかなくなっていますね。

五十嵐　「黒田バズーカ」（黒田東彦《はるひこ》・日銀総裁による異次元金融緩和のこと）ですね。インフレターゲットの達成をあきらめてしまった。

志位　人為的にインフレを起こすリフレーションの提唱者である内閣官房参与の浜田宏一氏（米エール大学名誉教授）も〝もううまくゆかない〟と白旗をあげてますでしょう。

五十嵐　そうですね。「リフレ派」の転向だと話題になりました。

志位　国民の暮らしはいよいよ大変になっています。安倍政権の3年間で17・5万円も実質賃金が下がる。15カ月連続で家計消費がマイナスになる。「アベノミクス不況」が世間を覆っている。ここでも転換が必要ですね。

五十嵐　牛丼の値段を見てればわかる（笑い）。高いものを売るようになるのは景気がいいからで、値段を下げるのは景気が悪くなっているからです。いま下げ始めましたからね。高いものは金持ちが買うけれど、中間層がどんどん減って貧しい生活を強いられる、可処分所得がなかなか増えないという状況が、庶民のレベルでは続いています。一時期、景気がいいように見えたのは円安・株高でもうけた高所得層が高いものを買い、中国などから来た観光客が「爆買い」したからです。表面的には景気がよくなったかのように見えたけれど、実際はずーっと不況状態が続いている。こういう中で、ものすごく貧困と格差が拡大してきていますね。

志位　そこが日本の社会の大問題ですね。私たちの党大会決議案では、格差と貧困をただし、中間層を豊かにする、経済民主主義の改革を提唱したんです。

決議案には、格差問題という場合、三つの角度が大事だということを書いています。一つは、富裕層にますます富が集中していること。二つは、中間層が疲弊・衰退していること。そして三つは、貧困層が増大していることとです。この三つの角度でみると全体がとらえられるのですが、三つとも非常に深刻になっています。

1990年代後半から20年ぐらいにわたって、新自由主義、構造改革の政策がすすめられました。人間らしい雇用の破壊がすすみ、非正規雇用がどんどん増える。社会保障の切り捨てと消費税の増税、富裕層への減税、大企業減税で、税と社会保障の所得再配分機能が壊されていく。このなかで、格差と貧困がこの20年間に広がり、「アベノミクス」がそれに拍車をかけるという状況です。ここをただす改革をやろうじゃないかと提案しているんです。

五十嵐　そうですね。ここにも「アベノミクス」のジレンマが生まれています。つまり、景気が回復しなければ、「アベノミクス」は成長軌道に乗れませんが、その景気回復を「アベノミクス」が阻害し、足を引っ張っている。少子化の問題にしても、消費が拡大しないという問題にしても、「アベノミクス」がそういう問題を生む根源になっているからです。

安倍首相は最近「働き方改革」ということをさかんに言っていますが、みずから作り出した矛盾を無視できなくなり、それなりに対応しなければならなくなっている。労働組合に手を突っ込んで野党の支持基盤を掘り崩そうという、よこしまなもくろみもあるでしょうが、所得が増えずに庶民の生活が破壊されているという問題、あるいは働き方が厳しく労働時間が長い、非正規が増え、労働現場も荒廃している状況を無視できなくなったということだと思いますね。

志位　そう。無視できなくなっている。ただ、もう一方で、この間やってきたことといえば労働者派遣法の大改悪でしょ。正社員を派遣に置き換えることを防ぐ歯止めだった期間制限を取り払ってしまう大改悪をやりました。それから、「残業代ゼロ法案」＝「過労死促進法案」をあくまで押し通そうとしていますでしょ。過労死をいよいよひどくする法改悪に執念をもやす。小手先の策はだしているんだけれど、基本は雇用破壊の延長なんですよ。

五十嵐　ええ。それがジレンマだと思いますね。問題は無視できない、解決しなきゃならない、でも解決できない。解決能力を持っていない。本気でやろうとすると経営側は反対しますから。しかし、経営者の利害を損なう形ででも抜本的な解決策を講じなければ、状況は打開できない。さてどうしたものかと悩んでいるんでしょう。だから私は政治転換の機が熟したと思うのです。

志位　そうですね。たとえば電通で若い女性社員が過労自殺するという痛ましい事件が起きた。これぱかりはだれも電通を擁護できない。長時間労働にメスを入れなきゃいけないということを、だれも否定できません。これは自民党政治がつくりだした雇用破壊の一番痛ましい結果です。しかし、彼らは「過労死促進法案」は降ろさない。本当にジレンマに陥っている。経済でも政策は総破たんですね。

五十嵐　統治能力、解決能力を失っているわけですから。もう「ごくろうさまでした」（笑い）と、「さよなら」していただくしかないんじゃないですか。

志位さん　オスプレイ撤去の国民的運動を
五十嵐さん　安保が本格的に問われる年に

志位　沖縄では昨年12月、オスプレイの墜落が起きました。あれだけの事故が起こったのに、わずか6日後に、米軍はオスプレイの全面的な運用開始を強行した。日本政府はそれを「理解する」と言った。これはあまりにひどい態度です。オスプレイ墜落の原因究明で、日本の捜査機関が米軍に捜査協力を申し入れたのに米軍は拒否したでしょう。日本側は独自の情報をまったく持っていないのに「理解」しちゃうわけです。

五十嵐　日本の捜査機関がまったく蚊帳《かや》の外に置かれていて、原因究明について何の情報も持っていないにもかかわらず、「理解」できると。「理解」できないことを「理解」しちゃう、その態度が「理解」できない。（笑い）

志位　沖縄では怒りのマグマが噴き出しています。オスプレイは全国の問題です。オスプレイ撤去の国民的運動を大いにやりたいと思っています。

五十嵐　この問題を含めて、今年は安保が本格的に問われる年になると思いますね。米大統領に就任するトランプさんは、「在日米軍基地、カネ払わないんだったら引き揚げる」と言っています。「それなら、もう出てってください」と言いたい。（笑い）

沖縄の新基地やオスプレイの配備。これ

オスプレイは撤去してと北部訓練場日米返還式会場付近で抗議する人たち＝2016年12月22日、沖縄県名護市

は根源を探れば安保の問題と深くかかわっているわけですから。しかも、在日米軍基地の強化は沖縄だけではなく、日本全土で行われています。オスプレイは首都圏でいえば横田や千葉などにも来る。

志位　横田、厚木、キャンプ富士、岩国、それから木更津には整備拠点。佐賀には自衛隊のオスプレイを配備するという。米海兵隊、米空軍、陸上自衛隊のオスプレイをあわせると50機を超えることになる。

五十嵐　そんなものが日本の空の上を飛び回るなんて、なんと恐ろしい話でしょうか。

志位　米軍機の低空飛行訓練のルートが六つある。全国で50機を超えるオスプレイがブンブン飛び回ったら、とんでもない恐ろしい状態になります。

五十嵐　ええ。オスプレイの墜落も一歩間違えば住宅地に落ちて大惨事になっていた。米本土では住宅地上空での訓練は行っていません。危ないからですね。私はオスプレイは「落ちプレイ」だと（笑い）。いつ落ちるかわからないと言っていますが、アメリカでは〝空飛ぶ棺おけ〟だとか〝未亡人製造機〟だとか言われている。ここでも、根本的な問題は安保にありですよ。

事故の捜査の問題でも、日米地位協定が根源にあります。だから安保体制全体がいよいよ問題になってくる。「臭いにおいは元から断たなきゃだめ」ということですね。

志位　おっしゃるとおりで、私は今度のオスプレイの墜落は、いまの安保体制の問題点を浮き彫りにしたと思うんですよ。二つの大きな問題を感じています。

一つは、米軍の沖縄に対する意識です。植民地、戦利品だと思っている。沖縄の米軍のトップ、ニコルソン四軍調整官が、「住宅や県民に被害を与えなかったことは感謝されるべきだ」と言った。自分たちで、一つ間違えば大惨事という事故を起こしておいて、「感謝せよ」と言う感覚。占領者意識丸出しです。

もう一つは、さっきも話があったんですが、日本の捜査機関が原因究明の蚊帳の外に置かれてしまった問題です。海上保安庁が米軍に捜査協力を申し入れたが、回答もないまま放置されて、フライトレコーダーも、機体も米軍がもっていってしまった。安保体制の屈辱的な実態があらわれました。

五十嵐　そういう米軍の植民地的な蔑視《べっし》を増長させ、それでよしとさせる対応を日本政府が取っている。きちんとした抗議もできない。まさに植民地政府のような卑屈な対応です。

志位　今年を日米関係、日米安保体制はこれでいいのかということを根本から問う年にしていきたい。沖縄の基地問題は、日本全国の問題です。今年は、沖縄と本土の連帯で、「基地のない沖縄、基地のない日本」に向けたたたかいを大いに発展させていきたいと思います。

志位さん　南スーダンPKO派兵の無責任
五十嵐さん　事実に対して真面目さがない

志位　安保法制＝戦争法の問題で述べておきたいのは、南スーダンのPKOへの派兵の問題です。「駆け付け警護」の任務を自衛隊に与えたということが大きな問題になっていますが、論戦をやってみて感じたことが二つあります。一つは、南スーダンで内戦、戦闘が起こっている。これを認めないんですね。

五十嵐　そのとおりですね。これもペテンです。

志位　「戦闘」じゃなくて「衝突」だと言う。「内戦」でなく「武力衝突」だと。「内戦」じゃないなどと言っているのは日本の政府だけですよ。

もう一つ認めないのは、いま南スーダン政府軍が国連を攻撃しているわけですが、その事実を認めない。政府軍が国連を攻撃しているときに、「駆け付け警護」をやったら、政府軍との交戦になるじゃないかと。

五十嵐　そうそう。政府軍の方が危険だ。

志位　これを聞いても、いやいやそんなことありませんと、（南スーダンの）キール大統領は歓迎していますと言う。表向き「歓迎する」と言っているかもしれないが、実際は国連を攻撃しているわけですよ。ところが、この事実を認めない。

ものすごく無責任だと思いました。つまり、危険を危険として認めない。事実を認めない。こういう無責任な態度で、安保法制＝戦争法がどんどん運用され、発動されたら大変だと思いました。そういう点でも、これはもう廃止するしかありません。

五十嵐　ええ。戦争法を廃止し、それを推進してきた、それを実行しようとしている安倍政権も廃止する。この二つを廃止しないといけないということですね。

志位　はい。

五十嵐　いま言われたように、事実を直視できないというのは戦前の軍人や政治家、自民党政治家が持っている大きな欠陥だと思います。ごまかして、自分の都合の良いように解釈し、国民にうそを言って惑わす。言い換えるわけですね。「事変」と言ってみたり、

「転進」と言ってみたり、「玉砕」と言ってみたり。最近では武器を「防衛装備」。そして戦闘を「衝突」と言う。すべてごまかしです。

志位　言葉だけでごまかして、とりつくろう。昔からの悪い性癖が、そっくり復活していますね。

五十嵐　事実に対して真面目さがないということは、保守であれ革新であれ、そもそも政治家としての基本的な資質を欠いているということだと思います。事実に基づいて政治運営を行うというのは基本の「キ」ですから。どんなに都合が悪い、認めたくないことであっても、事実は事実としてきちんと向き合うという真面目さ、真摯《しんし》さ。これは政治家としての最低限の条件だと思いますね。

志位　そうですね。とくに戦争とか原発とか、直接に人間の命がかかった問題で、危険を危険と認めないのが一番危険です。「安全神話」に陥って自衛隊を運用したら大変なことになるということを言いたいですね。

五十嵐さん　政治変革の波が世界で起こっている
志位さん　世界と日本が響きあっている

志位　たたかいの展望という点で注目しているのは、ヨーロッパとアメリカで待ちに待った変化が起こっているということです。アメリカでは、バーニー・サンダース上院議員が大統領選挙の予備選挙で大健闘しました。「1％の富裕層のための政治ではなく99％のための政治」をということを掲げて大健闘し、大統領選挙が終わったあとも、さらに運

ギリシャ総選挙で、与党・急進左派連合（ＳＹＲＩＺＡ）の勝利を喜ぶ同党支持者ら＝2015年9月20日、アテネ（島崎桂撮影）

動を続けていくとがんばっています。

ヨーロッパでは、ＥＵの緊縮政策に反対する流れが起こっています。ギリシャでは「ＳＹＲＩＺＡ（シリザ）」という急進左派連合が政権をつくりました。初めて、ＥＵの緊縮政策に正面から転換を求める政権ができたわけです。ポルトガルも、緊縮政策に反対する勢力が勝利して政権交代が起こりました。スペインは政権交代まではいっていませんけれど、「ＰＯＤＥＭＯＳ（ポデモス）」を中心とする左翼的な流れが急伸長する。イギリスでも労働党の党首選挙で、ジェレミー・コービン氏が、反緊縮を掲げて勝利する。

これらは、グローバル資本主義の暴走、新自由主義の暴走を止め、転換を求める動きです。それに、イラク戦争など無法な戦争に反対して、平和を求める動きが合流して、新しい社会変革をめざす流れをつくっています。とても希望がもてる動きですね。

五十嵐　そうですね。私は戦後世界の第3の段階が始まりつつあるんじゃないかと思いますね。戦後の資本主義世界は基本的には修正資本主義的な政策、つまりケインズ主義にもとづく有効需要創出、国家などの公的権力が一定の介入を行いながら有効需要を創出して、景気をよくするというやり方を取ってきたわけです。北欧の場合は福祉国家をめざす社会民主主義という、これも国が公的な力を使いながら社会や生活の改善のために関与するという政策をとってきた。

第2の段階というのが新自由主義です。規制緩和や民営化で、国がなるべく関与しない。資本の好きなようにやらせる。その後のソ連・東欧の崩壊もあって、グローバリズムが強まる中で新自由主義的な規制緩和が世界中に波及し、貧困と格差の拡大などさまざまな経済・社会問題を生んできました。これが極大化して、いま大きな転機を迎えています。

指摘された左翼的な動きとともに、トランプの当選だとかイギリスのEU離脱だとか、ヨーロッパでの極右勢力の台頭など右傾化も強まっています。その背景は同じで、現状に対する不満や、そこからの脱出路を求める人たちが、右に行ったり左に行ったりしている。右の方は「幻想」だと思いますが、その「幻想」と「活路」のせめぎあいがこれから本格化する。混乱期・過渡期が続く中で、第3の段階としてどういう局面が生まれてくるかが試されているのではないかと思いますね。

志位　たしかに、ヨーロッパでもアメリカでも、極右勢力の台頭や排外主義の強まりも起こっていますから、どちらに向かうのかは、予断をもって言えない面があります。「幻想」の方向に進む危険もよく見ておかなければならないと思います。

ただ、ヨーロッパにしてもアメリカにしても、さきほどあげたいくつかの動きは、すべて草の根の運動に根があるんですね。ここが大事だと思うんですよ。たとえば、サンダース氏の大健闘にしても、米金融界の中心地のウォール街の占拠を訴えた「オキュパイ

（占拠）」の運動や、世界最大の小売りチェーン「ウォルマート」などで広がった最低賃金「時給15ドル」を求める運動などが根っこにある。さらにイラク戦争反対の平和を求める運動が根っこにある。いろいろな草の根の運動の要求を、サンダース氏は政策化したわけです。ここが大事な点で、いま日本で野党と市民の共闘が発展していますけれども、これと響き合うような流れだと思います。

五十嵐　ええ、同じだと思いますね。歴史的にみれば、そういう運動は２０１０年の「アラブの春」ごろから始まってきているわけです。11年にはアメリカで「オキュパイ運動」があり、そこから「99％のための政治」という新しい流れが生まれ、民主的社会主義者が大統領候補として善戦するという「サンダース現象」につながっていく。

それだけでなくアジアでも、たとえば香港の「雨傘革命」とか、台湾の「ひまわり学生運動」とかが起こっている。フィリピンではドゥテルテが大統領に当選して政権が交代した。韓国では朴《パク》大統領辞任を求めて大規模な集会が開かれていますけれど、すでに昨年の総選挙で野党が勝って多数なんですね。こうして、アメリカ、ヨーロッパ、アラブ、そして東アジアと、政治変革の波はひたひたと日本の岸にまで押し寄せてきている。

そういう流れは、日本でも戦争法に反対する運動から市民と野党の共闘へということで、草の根での運動を背景とした新しい政治変革の動きに結びついてきているわけです。今度は日本の番だということだと思いますね。

志位　そうです。日本もがんばらねば。（笑い）

ヨーロッパ、アメリカの新しい社会変革の運動は、「反新自由主義の旗」とともに「平和の旗」も掲げています。サンダース氏はバーモント州選出の上院議員です。私もバーモントに行ったことがありますけれども、バーモントは全米でもっとも進歩的な州とよく言われます。イラク戦争反対決議、核兵器禁止条約推進決議、ブッシュ大統領立ち入り禁止決議などを、州の上下両院で採択しているんですよ。サンダース氏は、「バーモントの進んだ政治がどれだけ全米で広がるか試してみたかった」と、こういう言い方をしています。イギリス労働党の党首になったジェレミー・コービン氏にしても、反核平和運動のリーダーですよね。平和の問題でも旗を立てている。

日本でも、安保法制＝戦争法反対という「平和の旗」から始まった運動が、同時に、格差と貧困をただす「暮らしの旗」を立てて、これをいかに発展させるか。そういう段階にきていると思います。切実な暮らしの問題でも、国民の願いをくみ上げるような運動としてぜひ発展させたいと思っています。

志位さん「多様性」をプラスにという発想で
五十嵐さん 違うから一致点で協力しあう

五十嵐 私は修士論文のテーマが統一戦線の問題で、これが研究者生活の出発点でした。その研究課題が40年ほどたって実践の課題に変わる時代がやってきた。本当に感慨無量ですね。

統一戦線結成の展望が生まれてきているなかで、「共産党を除く」という「壁」が崩れた。これは非常に大きな画期的な前進だったと思います。それを生み出した力は、草の根の市民の力、安倍暴走に対する強い憤り、大きな危機感であり、それに対して人々が

「ノー」を言うために立ち上がった行動力だったと思います。

志位 始まった共闘を、来たるべき総選挙で、さらに発展させたいと決意しています。総選挙で野党と市民の共闘を発展させるためには、三つ課題があると私たちは言っているんです。

第一は、共通政策を豊かで魅力あるものにすることです。安保法制＝戦争法の廃止は「一丁目一番地」の政策として大事にしつつ、暮らしの問題、民主主義の問題、原発の問題など、国民から見て「まかせてみたい」「1票を入れよう」と思っていただけるような魅力ある共通政策のパッケージをつくっていきたい。

第二は、参院選挙のときは、最初の野党共闘のチャレンジでしたので、1人区で党候補のほとんどすべてを降ろすという対応をやりました。しかし総選挙は、相互推薦・相互支援で、互いに応援しあう、一緒になって選挙をたたかうという共闘を実現したい。これはどうしても必要です。

第三は、政権問題での前向きの合意をつくることです。私たちの提案は「国民連合政府」ですが、野党連合政権の問題で前向きの合意をつくっていきたいと思います。ただ、政権問題は、現在のところ、野党間で合意がないですから、総選挙の選挙協力の協議に入る条件にはせず、協議のなかで合意が得られるように努力したいと思います。

共闘を発展させるさい、「政党間の共闘とはそもそも何か」という基本を踏まえることが大切だと思うんですね。「綱領、理念、政策が違うものとは協力できない」という議論がありますが、「綱領、理念、政策」が一緒だったら同じ政党になってしまう。それが違うからこそ、それぞれの政党をつくっているわけです。綱領や理念、めざす将来像が違っても、当面の国民の願いにこたえた一致点で、力を合わせる――これが当たり前の政党間の共闘です。それは、選挙協力だけでなく、政権協力でもそうです。お互いの違いを認め合って、お互いにリスペクト（尊敬）し、一致点で協力するという態度で、ぜひ発展させたいと思っているんです。

五十嵐　ええ。その通りです。

志位　沖縄県では知事の翁長雄志《おながたけし》さんを先頭に「オール沖縄」のたたかいを発展させているわけですが、翁長さんのとても印象深い言葉があるんです。「これからは保守は革新に敬意をもち、革新は保守に敬意をもち、お互いに敬意をもってやっていきましょう」。けだし名言です。とても素晴らしい言葉です。

お互い違いがあっても、認めあい、一致点で協力する。むしろ野党の間に違い――「多様性」があってもいいのではないか。まったく「多様性」がゼロ（笑い）の安倍政権に比べたら、よっぽどこっちの方がいいですよ（笑い）。「多様性」をプラスにするという発想で、野党の側はやったらどうかと考えています。

五十嵐　そうですね。いま言われた統一戦線の「そもそも論」ですが、考え方や政策が異なる政党や団体、個人が手を結ぶのは、異なっているからです。異なっていなければ、手を結ぶ、結ばないとか、一致点を探る、探らないとかは問題になりません。違うから一致点で協力しあうという関係が出てくるわけですよね。

対立や葛藤《かっとう》があるのは当然で、それ以上に力を合わせる必要性が生じた場合に統一できる。いまは安倍暴走をいかにストップさせるのか、戦争法をいかに廃止して平和を守るのか、そして生活や生業《なりわい》を守っていくのかという、違い以上に実現しなければならない切実な要求が明らかになってきています。それを達成しようと思えば、一致できるところで行動を統一するのは当然のことです。

それと、いま言われた「多様性」というのは、私は決してマイナスじゃないと思うんですよ。自民党だって、昔はもっと多様で柔軟だったもの。（笑い）

志位 そうそう。（笑い）

五十嵐 いま「安倍1強」のもと、従来、自民党に働いていた「振り子の論理」のようなものが党内で働かなくなってしまった。この「振り子」は自民党の枠を超えて野党共闘に振れる可能性が生まれてきていると思うんです。

志位 野党の側が「多様性」を自らのなかに包み込んで、「多様性」のなかで統一する。「多様性の統一」を追求したいと思います。そういう流れを本当につくっていくことができれば、国民のみなさんの信頼もさらに広がっていくんじゃないでしょうか。「毎日」の世論調査では、野党共闘で候補者を一本化することに賛成が39％で、野党支持率の合計よりもずっと多い。野党がまとまって別の選択肢、対案を出してほしいという気持ちがあるんですね。

五十嵐 「今度は政治が変わるかもしれない」という期待感が生まれるような形で、選択肢を提起することが重要だと思います。そうすれば、今まで投票に行かなかった人も、今度は自分が投票すれば政治が動くかもしれないということで投票所に行く。新潟県知事選の場合は投票率が10ポイントほど上がっていますし、参院選挙の場合も、1人区でかなり投票率があがった選挙区がありましたから。

志位さん　党大会に初めて野党代表が
五十嵐さん　共産党の前進が野党共闘でも力に

志位　今年は野党と市民の共闘の前進とともに、日本共産党自身の躍進を必ず勝ち取りたいと思っています。

ここまで野党共闘が発展した一つの要因として、日本共産党が2013年の参院選挙、14年の総選挙、15年の統一地方選挙と、連続的に躍進したことがその貢献になっていることは間違いないと思います。この力があったから、「国民連合政府」の提案も無視されないで、一定の広がりをつくり、情勢を動かすことに貢献したと思います。日本共産党自身が躍進するということが、次の局面を開くうえでも支えになると思いますので、野党と市民の共闘の前進、日本共産党の躍進――これを両輪で実現していきたい。

比例代表で「850万票、15％以上」が目標なんですが、比例代表は第3党までいこうと、どこの党を抜くかは言いませんが（笑い）、第3党までいくぞというのが、私たちの目標です。

それと、日本共産党の小選挙区当選議員は、沖縄1区の赤嶺政賢さん1人だけなんです。野党と市民の統一候補に、日本共産党の候補もたくさんしていただいて、「比例を軸」にしながら、小選挙区でもたくさんの風穴をあけるたたかいをやって、議席を増やしたい。日本共産党をさらに伸ばして、次の局面を支える力にしたいと決意しています。

第27回党大会が1月15日からあります。この大会は、野党と市民の共闘の発展という

「日本の政治の新しい時代」が始まるもとで、内外情勢の分析、わが党の任務を全面的に明らかにする大会になります。民進党、自由党、社民党、参院会派「沖縄の風」の4野党・会派のみなさんに、あいさつに来ていただけることになりました。

五十嵐　初めてのことで、たいへん歴史的な出来事ですよね。

志位　ええ。党大会に他党の代表をお迎えするというのは、95年の党の歴史で初めてのことです。とてもうれしいことです。それから国民運動、市民運動を一緒にやってきた方々に、新しい仲間も、古くからの仲間も（笑い）、ごあいさついただけるので、大会そのものが、新しい日本の政治の姿を示すものになると思います。

五十嵐　市民と野党の勢ぞろいの場になるんじゃないでしょうか。共産党が国政で野党第2党になって、無視できない力を得たというのは本当に大きかったと思います。野党との関係でも、民進党が野党共闘に踏み切っていくうえで大きな力になった。これから共産党がさらに力を強めていくことが、野党共闘の前進にとっても大きな推進力になるんじゃないかと思います。

最後に、「しんぶん赤旗」について一言。マスメディアが全体として萎縮《いしゅく》し、批判精神を失い、退廃しているもとで、反権力でタブーをもたない「赤旗」の役割には極めて重要なものがあります。政党の機関紙にとどまらない、本来あるべき真のジャーナリズムとして、いっそう大きな役割を発揮してもらいたいと思います。

志位　「赤旗」に対するエールまで送っていただき、ありがとうございました。今年をさらに大きな希望が開けてくる年にするために、大いにがんばります。

（「しんぶん赤旗」２０17年1月1日付）